P9-EGB-984

À Ugo, Marius, et notre petit voisin Adam !
- S.L.

À ma maman
car il n'y a pas mieux pour soulager mes bobos.
- E.T.

Loi n° 49.956 du 16 juillet 1949 sur les publications
destinées à la jeunesse : mars 2013
Dépôt légal : mars 2013
ISBN 978-2-877-67769-1
Imprimé en Italie

Diffusion l'école des loisirs

www.editions-kaleidoscope.com

Texte de Sophie Lescaut
Illustrations d'Éléonore Thuillier

kaléidoscope

Adam est fort.

Vraiment TRÈS fort.

ADAM
SUPERMAN

Si fort que…
?!
??

… lorsqu'il enfourche son tricycle…

!!

cabane
de superéro

… et qu'il se met
à pédaler…

Youhou !!!

... tout le monde s'enfuit !

Au SeCouuuuuuurs !!!

Mais…

... attention, Adam !

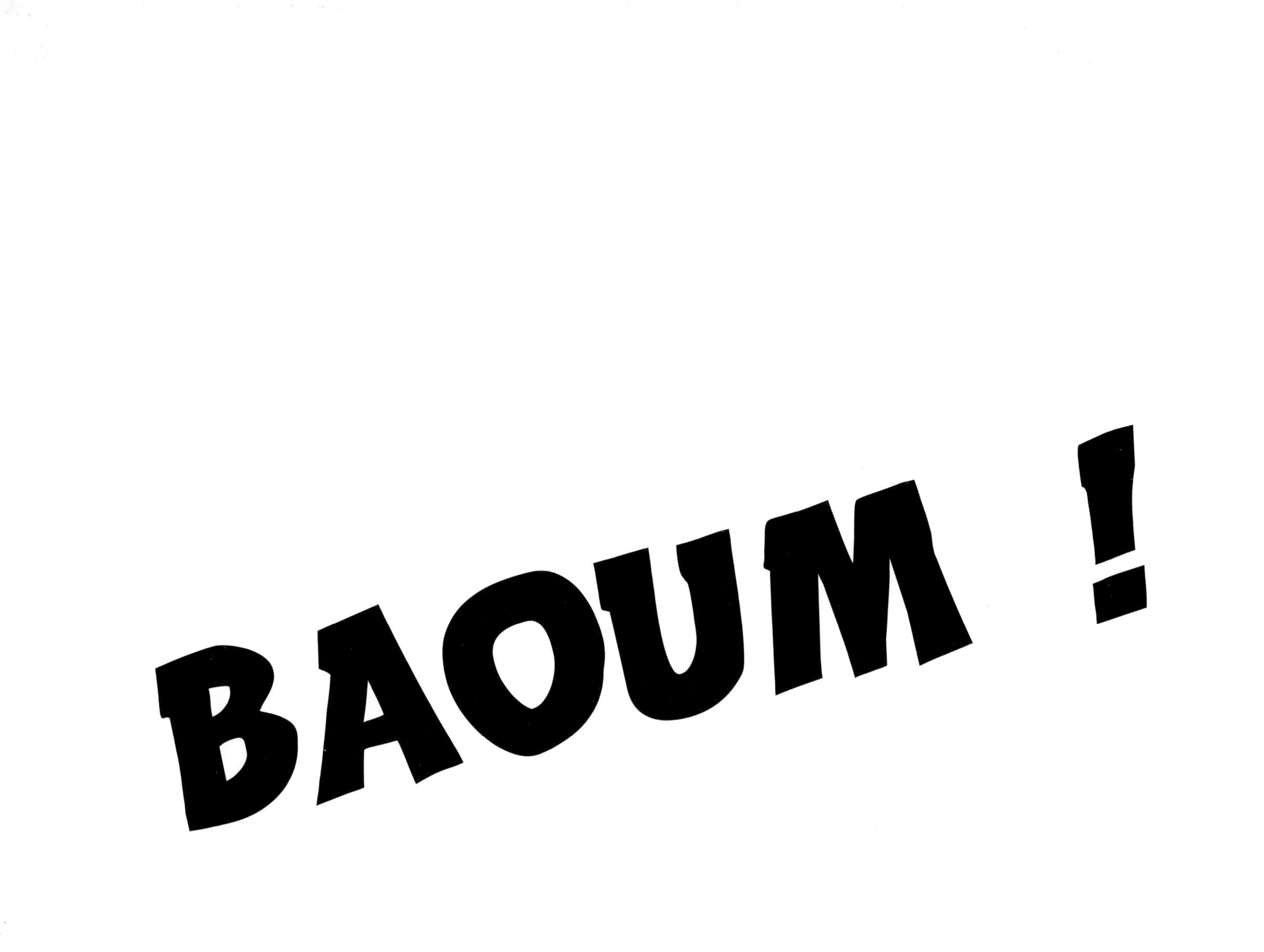
BAOUM !

Maman...!

Alors Adam,
dans les bras de sa maman,
redevient petit…

… tout petit.